가족들과 함께하는 색칠 책

사랑해요! 할머니, 할아버지

저자 정다건(노아드림 Noadream)

사랑해요! 할머니, 할아버지

발　　행 | 2024년 6월 10일

저　　자 | 정다건(노아드림)

디 자 인 | 어비, 미드저니

편　　집 | 어비

펴 낸 이 | 송태민

펴 낸 곳 | 열린 인공지능

등　　록 | 2023.03.09(제2023-16호)

주　　소 | 서울특별시 영등포구 영등포로 112

전　　화 | (0505)044-0088

이 메 일 | book@uhbee.net

ISBN | 979-11-94006-27-5

www.OpenAIBooks.com

가족들과 함께하는 색칠 책

사랑해요! 할머니, 할아버지

저자 정다건(노아드림 Noadream)

목차

머리말

가족은 우리 삶에서 가장 소중한 보물입니다. 우리의 인생 여정에서 함께 나누고 함께 성장해온 가족들과 함께하는 시간은 언제나 특별합니다. '사랑해요! 할머니, 할아버지' 색칠 책은 이러한 가족들과의 소중한 순간을 더욱 의미 있게 만들어주기 위해 탄생했습니다.

이 책은 가족과 함께 즐길 수 있는 다양한 활동과 장면들을 담고 있습니다. 할아버지와 할머니, 손자 손녀들이 함께하는 특별한 순간을 색칠하는 과정을 통해 더욱 가까워지고, 서로의 사랑과 이해를 깊게 나눌 수 있도록 돕습니다. 각 페이지마다 가족들이 함께하는 특별한 장면과 이야기가 담겨 있어, 색칠하는 과정이 즐거운 이야기로 가득 찰 것입니다.

이 책은 여러분의 가족에게 새로운 즐거움과 행복을 선사하며, 함께한 순간들이 영원한 추억으로 남길 수 있기를 바랍니다. '사랑해요! 할머니, 할아버지' 색칠 책과 함께하는 모든 순간이 특별하고 의미 있는 시간이 되기를 기대합니다."

저자 소개

저는 그림 그리기에 관심을 가지고 있었지만 잘 그리지 못한 다는 이유로 접근조차 할 생각을 못했었습니다. 그러나 생성형 AI 기술의 발전으로 미드저니, 달리 등 그림을 그릴 수 있는 이미지 생성형 도구가 있어 그림 그리기에 도전을 할 수가 있었습니다. 그 도전으로 어린이 동화책(찰리와 마법의 도서관)과 아마존KDP에 Cute Girls & Boys, Princes and Princesses coloring book을 출판한 경험이 있습니다.

01. 사랑해요! 할머니

언제나 우리의 햇살 같은 할머니.

02. 사랑해요! 할아버지

언제나 자상하신 우리 할아버지.

03. 사랑해요! 할머니, 할아버지

언제나 함께 할 것을 약속하였답니다.

•

04.　사랑해요! 할머니, 할아버지

영원히 간직될 우리의 특별한 시간.

05. 고마워요! 당신

당신이 있어서 고맙습니다.
항상 함께해줘서 고맙습니다.

01. 소풍가기

바구니에서 꺼낸 음식을 함께 즐기며 대화를 나눕니다. 서로에게 따뜻한 차를 부어주고, 함께 맛있는 음식을 먹으면서 행복한 시간을 보냅니다.

02. 산책하기

우리는 걷기를 좋아하고, 손을 맞잡고 함께 이야기를 나누면서 산책을 즐깁니다.

03. 요리하기

요리하는 할아버지와 할머니의 손길은 사랑으로 가득 차 있습니다. 그들의 요리 솜씨는 맛 뿐만 아니라 가족에게 따뜻한 품을 안겨줍니다.

04. 정원가꾸기

할아버지와 할머니의 정원은 사랑과 섬세함으로 가득 차 있습니다. 그들의 정성이 꽃과 나무에 담겨 있어, 우리는 항상 그 아름다움에 감사합니다.

05. 독서하기

할아버지와 할머니의 독서 모습은 지식과 경험으로 가득합니다. 책 속 세계에 빠져들며, 그들은 우리에게 끊임없는 영감과 지혜를 전해줍니다.

06. 춤추기

할아버지와 할머니의 춤추는 모습은 젊음과 활력으로 넘쳐나며, 우리 모두를 행복하게 만듭니다.

07. 명상시간

할아버지와 할머니가 명상하는 모습은 안정과 내적 평화를 느끼게 합니다. 그들의 조용한 순간은 우리에게 영감과 평온을 선물합니다.

08. 등산가기

할아버지와 할머니가 등산을 즐기는 모습은 활기와 모험으로 가득 차 있습니다. 그들의 열정은 우리에게 새로운 경험과 에너지를 전달합니다.

09. 아이스크림 먹기

할아버지와 할머니가 아이스크림을 즐기는 모습은 어린 시절로 돌아간 듯한 행복한 순간입니다. 그들의 미소는 우리에게 달콤한 기억을 선물합니다.

10. 자전거타기

할아버지와 할머니가 자전거를 타는 모습은 자유로움과 활기찬 에너지로 넘쳐납니다. 그들의 웃음 소리는 우리에게 늘 새로운 모험을 상상하게 합니다.

11. 노래하기

할아버지와 할머니가 노래하는 모습은 마음의 여유와
따뜻함을 전합니다. 그들의 목소리는
우리에게 평화로운 휴식을 선물합니다

12. 퍼즐 맞추기

할아버지와 할머니가 퍼즐을 맞추는 모습은 지혜와 인내로 가득 차 있습니다. 그들의 협력과 노력은 우리에게 언제나 해결책을 찾을 수 있는 힘을 보여줍니다.

13. 낚시하기

할아버지와 할머니가 낚시를 즐기는 모습은 평온하고 여유로운 시간을 보내는 모습입니다. 그들의 두 손에서 피어나는 자연의 아름다움은 우리에게 안정과 행복을 전합니다.

14. 카페에서 차 한잔

할아버지와 할머니가 카페에서 차 한잔하는 모습은 차분하고 편안한 분위기를 만듭니다. 그들의 대화는 우리에게 소중한 가족 이야기와 함께하는 소중한 시간을 선물합니다.

15. 사진찍기

할아버지와 할머니가 스마트폰으로 사진을 찍는 모습은 현대와 과거를 잇는 아름다운 순간입니다. 그들의 눈에 담긴 순간은 우리에게 오래도록 기억될 소중한 추억으로 남습니다.

16. 바닷가 산책

바닷가에서 걸어가는 모습은 자유로움과 평화로움을 느끼게 합니다. 그들의 걸음은 파도 소리와 함께 우리에게 행복한 순간을 선사합니다.

17. 장보기

할아버지와 할머니가 장을 보는 모습은 따뜻하고
풍성한 가정의 모습을 상상케 합니다.
그들의 선택은 사랑으로 이루어진 식탁 위의
소중한 순간을 준비합니다.

18. 애견과 산책하기

애견과 함께 산책하는 모습은 행복하고 활기찬 가정의
모습을 보여줍니다. 그들의 따뜻한 미소는
우리에게 사랑과 관심이
고스란히 녹아 있는 풍경을 선사합니다.

19. 텃밭 가꾸기

텃밭을 가꾸는 모습은 자연과 조화로운 행복한 시간을 보여줍니다. 그들의 손길은 우리에게 신선한 채소와 아름다운 꽃으로 가득한 풍요로운 정원을 선사합니다.

20. 벚꽃나들이

벚꽃나들이를 즐기는 모습은 자연과의 조화로운 특별한 순간을 담아냅니다. 그들의 발걸음은 아름다운 벚꽃 아래서 행복하고 평화로운 시간을 보내는 모습을 상상케 합니다.

21. 테니스치기

테니스를 즐기는 모습은 활기차고 건강한 노년의 모습을 보여줍니다. 그들의 움직임은 활발하며, 서로의 경쟁과 협력을 통해 새로운 즐거움을 찾는 모습을 상상케 합니다.

22. 악기연주하기

악기를 연주하는 모습은 음악을 통해 소통하고
즐기는 특별한 순간을 담아냅니다.
그들의 손끝에서 피어나는 음악은 우리에게
감동과 행복을 전달합니다.

23. 골프치기

골프를 즐기는 모습은 자연과 조화로운
경기를 즐기는 모습을 보여줍니다.
그들의 타격과 스윙은 공원 속 푸른 잔디밭에서의
행복한 시간을 상상케 합니다.

24. 도자기 만들기

도자기를 만드는 모습은 창조적인 예술의 순간을 담아 냅니다. 그들의 손에서 피어나는 작품은 고요하고 아름다운 창조의 과정을 우리에게 보여줍니다.

25. 미술관 관람

미술관을 관람하는 모습은 예술의 아름다움을 함께 나누는 특별한 시간을 상상케 합니다. 그들의 눈은 예술 작품 속에 담긴 감동과 아름다움을 발견하고 함께 공유하는 모습을 보여줍니다.

01. 할아버지와 함께

다정한 할아버지와 함께 이야기 나누는 시간은

항상 특별한 시간이랍니다.

02. 할머니와 함께

언제나 친절한 할머니와 함께하는 모든 시간들은
서로에게 소중한 시간이랍니다.

03. 함께 밤하늘보기

밤하늘을 바라보는 모습은 자연의 아름다움 앞에 감탄하는 특별한 순간을 담아냅니다. 그들의 곁에서 별빛을 바라보며 나누는 이야기는 우리에게 평온하고 따뜻한 추억을 선사합니다.

04. 함께 책 읽기

책을 읽는 것은 지혜와 사랑을 함께하는 아름다운 순간을 담아냅니다. 그들의 읽기 소리와 이야기 속으로 빠져들며 함께 나누는 시간은 우리에게 지식과 정서적인 풍요로움을 선사합니다.

05. 함께 야구하기

활기찬 야구운동으로 가족 간의 유대를 강화하는 소중한 시간이 됩니다. 그들의 웃음과 열정은 경기장 안에서 새로운 도전을 이끌어내며,
함께한 순간을 특별하게 만듭니다.

06. 함께 모래성 쌓기

모래성을 쌓으면서 창의력과 협력을 발휘하는 아름다운 순간이 됩니다. 함께한 시간은 영원히 기억될 것입니다.

07. 함께 가족파티

가족들과 함께한 파티는 행복과 사랑으로 넘치는 아름다운 순간이며 소중한 추억을 만들어냅니다.

01. 멋진 기사님!

멋진 기사님이 꽃을 선물해 준다면
어떤 기분일까?

02. 요정이 있을까?

숲 속과 작은 꽃에 올망졸망한
요정이 살고 있다면?

03. 나에게도 고래친구가 있어!

고래친구가 있다면 난 무엇을 할까?